Machwa

Liebe Katja-Lisa,
zu Deinem 5. Geburtstag
alles Gute von Ulla, Karl-Heinz
u. Silke

... na, diese Geschichte paßt doch
gut! oder?

27. April 1990

Astrid Lindgren

Na klar, Lotta kann radfahren

Deutsch von Thyra Dohrenburg
Bilder von Ilon Wikland

Verlag Friedrich Oetinger · Hamburg

„Natürlich kann ich radfahren!“ rief Lotta. „Jawohl, das kann ich! Im geheimen!“ Lotta saß auf dem Türpfosten draußen vor ihrem Haus in der Krachmacherstraße. Da saß sie und schaute zu, wie Jonas und Mia-Maria auf ihren Rädern den Berg heruntergesaust kamen, daß es nur so rauschte. Kein Wunder, daß Lotta wütend war! Sie war noch nicht ganz fünf Jahre alt, diese Lotta, und in Wirklichkeit konnte sie gar nicht radfahren – nicht einmal im geheimen.

„Du bist noch zu klein", sagte Jonas später, als sie in der Küche saßen und Abendbrot aßen.
„Und außerdem hast du gar kein Fahrrad", sagte Mia-Maria, „bloß ein altes Dreirad."
Jetzt wurde Lotta noch wütender.
„Da hört ihr's mal", sagte sie zu Mama und Papa. „Wie soll ich radfahren können, wenn ich kein Fahrrad habe?"
Dann biß sie einen kleinen Happen von ihrem Butterbrot ab und murmelte:
„Ich kann aber doch radfahren. Im geheimen!"
Es gab vieles, was Lotta im geheimen tat. Jedenfalls sagte sie das immer. „Ich gehe auch in die Schule", pflegte sie zu sagen.
„Im geheimen."

Als Lotta einmal Tante Berg im Haus nebenan besuchte, da sagte Tante Berg: „Wie ulkig! Jonas und Mia-Maria haben beide blaue Augen; deine Augen sind aber beinahe grün."
Da sagte Lotta ganz entschieden:
„Ich habe auch blaue Augen – im geheimen."
Denn Lotta wollte immer genau das gleiche haben wie Jonas und Mia-Maria.
„Bloß ein altes Dreirad, die spinnen ja", sagte Lotta, als sie abends im Bett lag. Das sagte sie zu ihrem Teddy. Der ging immer mit Lotta ins Bett. Der Teddy war nicht etwa ein Bär, wie man meinen sollte, sondern ein Schweinchen, das Mama für Lotta genäht hatte. Lotta aber nannte es trotzdem Teddy, und ihrem Teddy erzählte sie alles.

„Du bist der einzige, der richtig zuhört“, sagte Lotta. „Jonas und Mia-Maria, die hören nie zu. Und sie verstehen auch nie was.“ Nein, da war der Teddy viel besser. Und nun lag er ganz still da und hörte zu, als Lotta ihm erzählte, was sie Schreckliches vorhatte. „Wenn ich an meinem Geburtstag kein richtiges Fahrrad kriege, dann mopse ich eins“, sagte Lotta. „Im geheimen.“

Genau zwei Tage später war Lottas Geburtstag. Sie wurde fünf Jahre alt. Mama und Papa und Jonas und Mia-Maria kamen morgens mit einer Torte und Lichtern herein und sangen: „Hoch soll sie leben.“ Sie hatten viele Geschenke für Lotta. Aber kein Fahrrad. Drei Spielzeugautos, ein Bilderbuch und ein Springseil bekam sie. Und eine neue Schaukel, die im Garten aufgehängt werden sollte, und eine hübsche Umhängetasche – aber kein Fahrrad!

„Du kommst sicher noch eine Weile mit dem Dreirad aus“, sagte Papa.
Lotta freute sich über all ihre Geschenke und dachte zunächst nicht weiter an das Fahrrad. Den ganzen Vormittag über war sie munter und vergnügt. Sie spielte mit ihren Autos, schaute sich ihr Bilderbuch an, sprang mit ihrem Springseil und schaukelte auf ihrer Schaukel.

Mit der neuen Tasche über der Schulter machte sie einen kleinen Spaziergang durch die Krachmacherstraße. Dabei traf sie den Schornsteinfeger, der gerade bei Tante Berg den Schornstein gekehrt hatte. Sie sagte zu ihm:
„Ich finde Umhängetaschen hübsch, du nicht auch?“
Der Schornsteinfeger fand das auch, und als Lotta dies hörte, wurde sie noch vergnügter.

Als sie aber nach Hause kam, fiel ihr Blick zufällig auf das Dreirad, das in einer Ecke stand. Da ging sie hin und gab ihm einen Tritt. „Gar nicht komme ich mit dir aus“, brummte sie. „Das denkt Papa nur.“
Sie hatte ganz vergessen, wie sehr sie sich gefreut hatte, als sie vor zwei Jahren das Dreirad zu ihrem Geburtstag bekam. Jetzt wollte sie ein richtiges Fahrrad haben.
„Und ich weiß auch, wo ich eins mopsen kann“, sagte sie.

In Tante Bergs Schuppen stand ein altes Fahrrad, Lotta hatte es dort gesehen.
„Das hol ich mir“, sagte sie zum Teddy.
„Und du mußt mitkommen.“
Denn Lotta wollte nicht allein sein, wenn sie mopsen ging.
„Wir müssen aber warten, bis Tante Berg ihren Mittagsschlaf hält. Sie darf es doch nicht merken“, sagte Lotta. Sie war wirklich ganz schön schlau!

Lotta schaute kurz zu Tante Berg hinein, um nachzusehen, ob sie schon eingeschlafen sei. Das war nicht der Fall. Tante Berg saß auf dem Sofa, strickte und sah nicht besonders müde aus. Skotty, ihr frecher kleiner Hund, sauste auf Lotta zu und bellte sie an. Aber daran war Lotta gewöhnt, und sie hatte keine Angst.
„Bell du nur“, sagte Lotta. „Wenn auch heute mein Geburtstag ist.“
Dann sagte sie zu Tante Berg:
„Rate mal, wer heute Geburtstag hat!“
„Ach richtig, das bist ja du“, sagte Tante Berg und ging zur Kommode und holte ein Päckchen heraus.
„Herzlichen Glückwunsch, kleine Lotta“, sagte Tante Berg.
Lotta machte das Päckchen sofort auf. Es lag eine Schachtel darin, und in der Schachtel war ein kleines Armband mit roten, blauen und grünen Steinen. Lotta fühlte im ganzen Körper, wie sehr sie sich freute. Oh, was für ein schönes Armband! Sie bedankte sich immer wieder bei Tante Berg.
„Du bist die netteste von der Welt“, sagte sie. Und sie legte das Armband sofort an und betrachtete die Steine, die glitzerten und glänzten.
„Das sind wohl beinahe Diamanten“, sagte Lotta begeistert.
„Keine richtigen“, sagte Tante Berg.

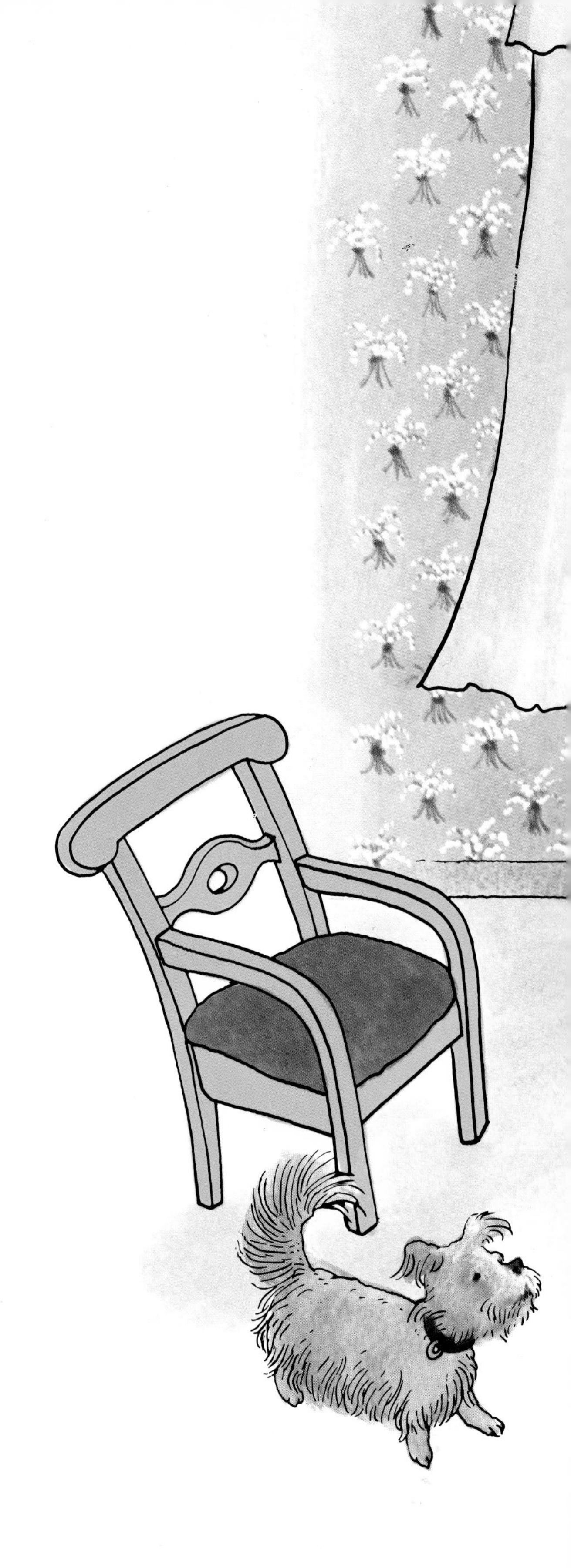

Nun aber fiel Lotta plötzlich ein, was sie eigentlich vorhatte, und darum streichelte sie Tante Bergs Wange und sagte:
„Ich an deiner Stelle würde jetzt aber meinen Mittagsschlaf halten."
„Ja, kleine Lotta, du hast recht", sagte Tante Berg.
Und dann ging Lotta. Mit dem Armband am Handgelenk und dem Teddy im Arm.

„Du, da sind wir aber schlau gewesen", sagte Lotta zufrieden. „Sie schläft sicher gleich ein, sollst mal sehen."
Danach schlich sich Lotta leise in den Schuppen und setzte sich hier mit dem Teddy auf einen Stuhl, um zu warten. Sie wartete und wartete, bis sie fast selber eingeschlafen wäre. Schließlich sagte sie: „So, jetzt legen wir los!"
Und dann legte Lotta los!

Doch Lotta war klein, und das Fahrrad war groß und unförmig. Es kippte viermal um, bevor Lotta damit überhaupt aus dem Schuppen herauskam.
Das war ein ganz dummes und abscheuliches Fahrrad, fand Lotta. Es zerschrammte ihr die Beine und fiel dauernd um und rutschte weg.
„Warte nur, bis ich auf die Pedale steige", sagte Lotta böse. Sie sagte es zu dem Fahrrad.

Den Teddy hatte sie auf den Gepäckträger geklemmt.
„Halt dich gut fest", sagte sie. „Gleich sause ich genauso den Berg runter wie Jonas und Mia-Maria."
Nun schob Lotta das Fahrrad mit großer Mühe die Krachmacherstraße bergauf.
„Man muß ja schließlich erst mal oben sein, bevor man runtersausen kann", sagte sie ganz außer Atem.

Wenn man selber klein ist und das Fahrrad groß, dann ist es wirklich schwierig, auf die Pedale hinaufzukommen. Aber Lotta hatte Glück. Irgend jemand hatte oben auf dem Berg eine Kiste an den Rinnstein gestellt. Die war für Lotta zum Aufsteigen genau richtig. „Denk nur, genau richtig“, sagte Lotta, und im Nu stand sie auf den Pedalen.

„Jetzt paß auf, Teddy, jetzt wirst du ein Sausen erleben!“ sagte Lotta. Mehr konnte sie nicht sagen, denn nun ging es auch schon los. Sie sauste schneller davon, als Jonas und Mia-Maria es jemals getan hatten.
„Bremse!“ schrie Lotta. „Bremse!“
Doch das Fahrrad konnte nicht bremsen, und Lotta konnte es auch nicht. Lotta und das Fahrrad und der Teddy rasten den Berg hinunter, daß es nur so pfiff. Ja, der Teddy hatte solch ein Sausen wahrlich noch nie erlebt.

„Hilfe!“ schrie Lotta. „Hilfe!“
Aber das Fahrrad raste immer weiter. Bis an den Fuß des Berges sauste es, und hier krachte es mitten in die Hecke von Tante Bergs Haus. Die arme Lotta flog über die Hecke und landete in einem von Tante Bergs Rosensträuchern.
Da stieß Lotta ein so fürchterliches Geheul aus, daß Tante Berg drinnen im Haus ordentlich zusammenzuckte und erschrocken den Kopf zum Fenster hinausstreckte.

„Was ist denn los“, rief sie. „Was machst du da, Lotta?“
„Ich fahre Rad!“ schrie Lotta. „Und noch dazu an meinem Geburtstag!“ Sie fand es schrecklich, daß sie ausgerechnet an ihrem Geburtstag im Rosenstrauch landen mußte.
„Aber Herzchen“, sagte Tante Berg. „Wo tut es denn am meisten weh?“
Da verstummte Lotta und fühlte nach, wo es am meisten weh tat.
„Überall“, heulte sie. „An der Stirn“, sagte sie und fühlte nach. Und wirklich, hier hatte sie eine große Beule.
Sie wollte gerade von neuem in Geheul ausbrechen, da erblickte sie etwas noch Schlimmeres. Aus einer Schramme am Bein tropfte Blut.

„Blut!“ schrie Lotta so laut, daß man es in der ganzen Krachmacherstraße hören konnte. „Da kommt Blut! An meinem Geburtstag!“ Und sie schrie und schrie und schrie, weil sie blutete und weil sie eine Beule an der Stirn hatte – und auch ein klein wenig, weil sie das Rad gemopst hatte. Was würde Tante Berg dazu sagen?

Tante Berg aber sagte gar nichts, sondern nahm Lotta mit in ihre Küche und wusch ihr die Wunde und klebte ein Pflaster drauf. Und dann schob sie das Fahrrad in den Schuppen.
Sie machte dabei ein etwas strenges Gesicht, das sah Lotta.
„Ich hab es ja nur für eine kleine Weile gemopst", sagte Lotta. „Nur so lange, wie du geschlafen hast. Bist du mir deswegen böse?"
„Nein, nein", sagte Tante Berg. „Aber so ein großes Fahrrad ist ja lebensgefährlich für dich. Du müßtest ein kleineres haben."
„Ein Dreirad, was?" murrte Lotta.
„Nein, ein richtiges kleines Fahrrad", sagte Tante Berg.
„Sag das mal Papa", sagte Lotta.
Plötzlich stieß sie von neuem ein schauriges Gebrüll aus.
„Mein Armband!" schrie sie. „Ich hab mein Armband verloren!"
Ja wahrhaftig, das stimmte. Es war nicht mehr an ihrem Handgelenk und leuchtete und glitzerte nicht mehr.
„Wir müssen es suchen", sagte Tante Berg. Und das taten sie. Sie suchten und suchten, Tante Berg und Lotta, im Schuppen und auf der Straße, überall. Aber das Armband war nirgends zu sehen.

Nun ging Lotta nach Hause. Sie weinte und brüllte die ganze Zeit, so daß Jonas und Mia-Maria, als sie auf ihren Rädern aus der Schule kamen, es schon von weitem hören konnten. An der Gartentür trafen sie mit Lotta zusammen.
„Weshalb heulst du, Lotta?“ fragte Jonas.
„Weil das ein mieser Geburtstag ist“, zeterte Lotta.
Jonas und Mia-Maria wollten wissen, was Lotta so mies fand.
„Das erzähl ich euch nicht“, sagte Lotta zuerst.
Dann erzählte sie es aber doch. Sie berichtete von dem Fahrrad und von dem Armband, das sie verloren hatte.
„Es geschieht dir ganz recht, daß du das Armband verloren hast“, sagte Jonas.
„Genau“, sagte Mia-Maria, „Tante Berg schenkt dir ein Armband und ist so nett zu dir, und dann mopst du ihr einfach das Fahrrad. Es geschieht dir ganz recht, daß alles so gekommen ist.“
Lotta schwieg und schämte sich.
„Mit euch rede ich nicht“, sagte sie. Und dann kletterte sie auf den Türpfosten, um auf Papa zu warten. Der mußte jetzt bald nach Hause kommen.
„Ich finde aber trotzdem, daß es ein mieser Geburtstag ist“, sagte Lotta zu ihrem Teddy.

Da saßen die beiden und schauten Jonas und Mia-Maria zu, die wie immer den Berg hinunterradelten.
„Pah, das haben wir schließlich auch getan", sagte Lotta zum Teddy. Dann aber schüttelte sie finster den Kopf.
„Jonas spinnt wohl. Sieh mal, wie der fährt", sagte sie. Ja, wirklich, manchmal nahm Jonas beide Hände von der Lenkstange und radelte, ohne sich überhaupt festzuhalten!
„Mama hat doch gesagt, du darfst nicht so fahren", rief Lotta. „Es ist nämlich verboten!"

In diesem Augenblick aber entdeckte sie ihren Vater weit hinten auf der Straße, und es hätte nicht viel gefehlt, und sie wäre vom Pfosten gepurzelt. Denn was war das, was Papa neben sich herschob? Doch nicht etwa ein Fahrrad? Ein kleines Fahrrad, gerade richtig für Lotta!

„Nee, nun verstehe ich überhaupt nichts mehr", sagte Lotta. Dann aber stieß sie einen Schrei aus, so daß Mama zum Küchenfenster hinausschaute. Und Mama verstand ebenfalls überhaupt nichts.

„Was ist denn das?" fragte sie. „Wir hatten doch verabredet, daß Lotta erst im nächsten Jahr ein Fahrrad bekommen soll."
„Gewiß", sagte Papa. „Aber dies hier ist ein altes, gebrauchtes, billiges Rad, auf dem sie fahren lernen kann. Da hast du's, Lotta!"
Und obwohl es alt, gebraucht und billig war, freute Lotta sich mehr über das Rad als über irgend etwas anderes, das sie zu ihrem Geburtstag bekommen hatte.
Jonas sagte: „Das Ding ist gar nicht so übel! Probier es mal aus, Lotta!"
Und Lotta probierte es aus. Jonas rannte hinterher und hielt sie fest, denn keiner glaubte, daß Lotta radeln konnte. Aber unversehens ließ Jonas los, und Lotta fuhr trotzdem sehr gut.
„Guckt nur, das Mädchen kann tatsächlich radfahren", sagte Mama vom Fenster aus.
„Ja, klar kann ich radfahren!" rief Lotta.
„Guck mal, Tante Berg!" rief sie, als sie an Tante Bergs Haus vorüberfuhr. „Guck mal, wie ich fahren kann!"
Tante Berg aber schaute ganz verwundert über ihre Hecke. Dann hob sie ihre Hand und rief:
„Schau mal, Lotta, was im Rosenstrauch an einem Zweig gehangen hat!"
Sie hielt Lottas Armband in der Hand. Da fiel Lotta vom Rad, denn man kann nicht radfahren und sich gleichzeitig nach einem Armband umsehen. Sie tat sich aber nicht sehr weh, denn sie hatte ja nun ein kleines Rad.
Jonas und Mia-Maria kamen herbei und sahen sich Lottas Armband an, und Mia-Maria sagte, es sei das hübscheste Armband, das sie je gesehen habe.
„Jetzt findest du sicher nicht mehr, daß dies ein mieser Geburtstag ist", sagte Jonas.
„Nöö, das hab ich nie gefunden", sagte Lotta.

Dann radelte sie auf ihrem alten, gebrauchten Fahrrad und mit dem feinen Armband am Arm und dem Teddy auf dem Gepäckträger vor ihrem Haus hin und her.
Jonas und Mia-Maria radelten ebenfalls. Sie radelten alle drei, und Lotta fand es lustig. Plötzlich ließ Jonas die Lenkstange los und fuhr freihändig. Da kam Lotta auf die Idee, es auch zu versuchen.
„Halt dich fest“, rief sie dem Teddy zu, „denn jetzt laß ich los!“
Das tat sie auch. Und sofort flog sie vom Rad. Sie fiel auf die Straße, und obgleich sie nun ein kleines Fahrrad hatte, stieß sie sich tüchtig am Ellenbogen.
„Siehst du wohl!“ rief Lotta zornig Jonas zu. „Und außerdem ist es verboten!“
„Du bist zu klein dafür, das mußt du doch wissen!“ rief Jonas. „Du kannst noch nicht freihändig fahren, das mußt du doch wissen!“
Lotta aber saß auf der Straße und rieb sich den Ellenbogen.
Ganz leise, so daß nur der Teddy es hören konnte, murmelte sie: „Natürlich kann ich das! Ich kann genauso freihändig fahren wie Jonas! Im geheimen.“

Und dann gingen sie alle ins Haus und aßen
ein wirklich gutes Geburtstagsessen.

Die schwedische Originalausgabe erschien bei Rabén & Sjögren Bokförlag, Stockholm,
unter dem Titel VISST KAN LOTTA CYCKLA
Deutsch von Thyra Dohrenburg
Gesamtherstellung: Arnoldo Mondadori S.p.A., Verona
Printed in Italy 1989
ISBN 3-7891-6136-5